COLECCIÓN
San Pedrito

EN EL
BOSQUE
SECO

de Guánica

I l u s t r a c i o n e s
WALTER TORRES

N a r r a c i ó n
ÁNGEL LUIS TORRES

A s e s o r   C i e n t í f i c o
MIGUEL CANALS

EDITORIAL de la UNIVERSIDAD de PUERTO RICO
1 9 9 4

Corría el mes de noviembre y reinaba una gran agitación en el Bosque Seco de Guánica. Como ya había pasado la temporada de las lluvias, todos los árboles y plantas lucían un nuevo y hermoso vestido de hojas con brillantes colores. Había tantos tonos diferentes de verdes, rojos y amarillos, que parecía como si un pintor se hubiera vuelto loco mezclando los colores.

Nadie hubiera podido imaginar que durante ocho meses la mayoría de esos mismos árboles estuvieron totalmente desnudos. Es que durante gran parte del año apenas llueve en el sur. El sol, como si estuviese molesto por algo, lanza sus rayos más calientes sobre el Bosque. Los árboles y las plantas, para poder sobrevivir, dejan caer todas sus hojas formando con ellas un manto protector sobre el suelo. Así logran evitar que el calor evapore la poca humedad que conserva la tierra. Lo demás es cosa de esperar con paciencia por algún aguacero o chubasco ocasional hasta que llegue de nuevo el tiempo de las lluvias. Entonces el sol parece arrepentirse de lanzar sus rayos más ardientes sobre el Bosque. Aunque brillante como siempre, sus rayos ya no calientan tanto como en los meses de verano.

El Bosque se veía más joven y hermoso que en cualquier otra época del año. Al ver tanta belleza, las olas se complacían en acariciar con dulzura la tibia y dorada alfombra de arena que bordea el Bosque. Antes de retirarse de la orilla, cada una de ellas le regalaba un hermoso collar de espumas blancas. Desde el mar soplaba una brisa fresca y delicada que se entretenía bailando con los árboles. Las hojas le susurraban una canción de agradecimiento.

Algunas golondrinas hacían piruetas en los aires. El pitirre, el ruiseñor y el jilguero cantaban sobre las copas de los árboles. Estaban felices. Sus trinos eran más claros y dulces que nunca.

Los animales de tierra retozaban unos con otros como buenos hermanitos. Los lagartos jugaban al esconder bajo las hojas secas y las raíces de los árboles. Los sapos se ejercitaban dando brinquitos cortos y cómicos. De vez en cuando, uno que otro resbalaba sobre una laja y se iba de boca. Todos los que estaban mirando se reían a carcajadas al ver cómo caía.

Las termitas o comejenes bajaban de los árboles en una larga y bien ordenada caravana. Iban a encontrarse con sus amigas las hormigas.

Otra caravana marchaba lentamente por el Bosque; eran los cobos ermitaños. El peso de su caparazón les hacía tan lentos que apenas parecían moverse. Esto no les preocupaba mucho pues no tenían prisa por llegar a ningún lugar. Tampoco le temían a nada. Después de todo, eran muy afortunados y fuertes. Son muy pocos los animales que pueden darse el lujo de cargar con su propia casa. Ante cualquier peligro, les basta con entrar a ella y quedan protegidos. Sólo el hombre puede dañarles.

Dos grandes razones motivaban tal bullicio en el Bosque. Como había llegado el invierno, no faltaba mucho para que llegaran las aves migratorias. Todos los años, para la misma época, el Bosque Seco recibe la visita de miles de aves. Como en los bosques de los países del norte el invierno es muy frío, muchas aves vienen a la isla buscando refugio. En el Bosque encuentran suficiente alimento y calor para sus cuerpecitos. También tienen la oportunidad de encontrarse con viejos amigos.

Lo que más alegraba a los habitantes del Bosque era la llegada de las primeras tortugas marinas. Eso significaba que pronto llegaría un viejo amigo. Se trataba de Don Carey, un anciano tan anciano, que aun las aves más viejas, como Doña Aura Tiñosa y Don Guaraguao, recordaban haberlo visto siempre de la misma manera. Sólo le cambiaba la barba, que cada año se volvía más larga y más blanca. Tenía un caminar tan pesado y lento que siempre dejaba un largo rastro sobre la arena. Cada año que pasaba caminaba más lento aún. Don Carey era un gran narrador de historias. A los jóvenes del Bosque les encantaba escuchar las mil y una extrañas aventuras que el anciano había vivido durante sus andanzas por los fondos de los siete mares y las diferentes playas del mundo. ¡Muchas veces estuvo su vida en peligro!

Una vez, siendo aún muy joven, entró sin darse cuenta al vientre de una ballena, creyendo que se trataba de una cueva. Allí pasó muchos días y noches hasta que a la ballena le dio hipo. Con cada ataque de hipo, la ballena se llenaba de agua.

Don Carey aprovechó la situación para nadar hasta la boca de la ballena. Cuando vino el próximo ataque de hipo y la ballena abrió la boca, Don Carey nadó más fuerte que nunca. Fue así como logró salir de la ballena.

En otra ocasión, se vio apresado junto a otros cientos de peces, en una enorme red llamada chinchorro. Tuvo la suerte de que entre ellos había un pez sierra que logró romper algunos hilos de la red. Cuando los pescadores alzaron el chinchorro, el peso de la carga hizo que se deshilara la red. Todos los peces, incluyendo a Don Carey, pudieron escapar y regresar al mar.

A Don Carey le gustaba mucho nadar bajo las sombras de los cascos de los barcos. Un buen día le extrañó ver que algo giraba en la popa de uno de ellos. Era la primera vez que veía algo así. Como era muy curioso, trató de averiguar qué era. Cuando estuvo cerca sintió que era halado hacia el extraño objeto. De pronto, recibió un golpe muy duro en la cabeza. Quedó sin sentido y se fue al fondo del mar.

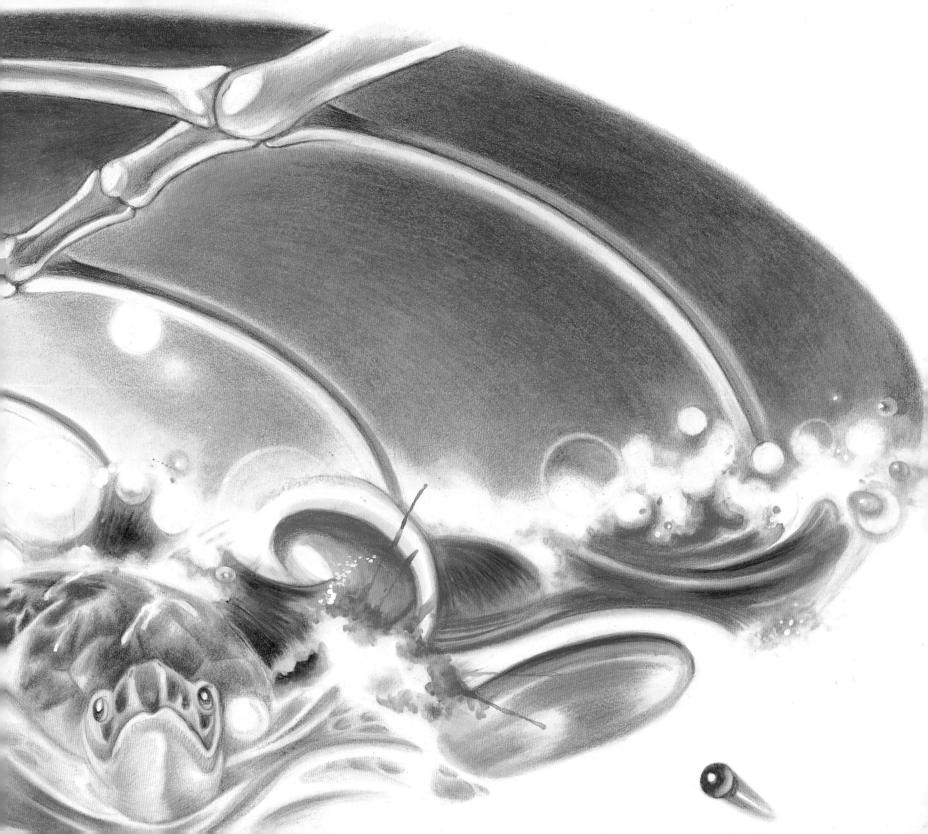

Pero la peor de todas sus experiencias
–contaba Don Carey– fue una de las últimas.
Tenía mucha hambre y, como ya estaba medio
cegato, le pareció ver flotando sobre las aguas
una aguaviva tan grande que parecía una
sombrilla transparente. Sin pensarlo dos veces,
se la tragó Poco después comenzó a faltarle
el aire. Lo que se había comido se le atoró
en la garganta y pasó muchos días sin poder
comer nada y sin poder sacar de su estómago
el extraño objeto. Nuevamente sintió la
sensación de que se hundía y ya no supo más.

Un buen día se sintió arrastrado por una fuerza
extraña. Haciendo un enorme esfuerzo, logró abrir
los ojos. Quien le arrastraba era un anciano y solitario
pescador. Don Carey intentó zafarse, pero no lo
logró. Estaba muy débil. Cuando Don Carey se
movió, el pescador notó que tenía algo blancuzco en
la boca. Enseguida tiró del objeto que se estiró y se
estiró hasta que el anciano logró sacarlo. Tan pronto
el aire llenó sus pulmones, Don Carey sintió cómo le
volvía la vida al cuerpo. Lo que había confundido con
una aguaviva no era otra cosa que una bolsa plástica.
Tal vez algún marinero la había dejado caer por la
borda, o alguien, por descuido, la había tirado al río
y la corriente había cargado con ella hasta llegar al
mar, donde Don Carey se la había tragado.

El pescador se compadeció de Don Carey y cuidó de él hasta que se recuperó. Era realmente hermoso verlos juntos caminando por la arena o simplemente echados uno al lado del otro bajo la sombra de un árbol. Todo marchaba muy bien entre ellos, mas Don Carey volvió a sentir en su corazón el llamado del mar y en su sangre, el calor de la aventura. Llegó el día en que ya no pudo resistir más el insinuante susurro del agua sobre la arena y decidió marcharse. Antes, recorrió todos los lugares donde había estado con su buen amigo. Luego se marchó, dejando tras sí sus huellas en la arena como muestra del cariño que le tenía al anciano pescador.

Estas y muchas otras aventuras acostumbraba contarles todos los años Don Carey a los jóvenes habitantes del Bosque. Por eso lo querían tanto y esperaban ansiosos su llegada para escuchar las nuevas aventuras de tan valiente señor. Pero algo extraño debía estar ocurriendo pues se suponía que ya hubiera llegado a las playas del Bosque...

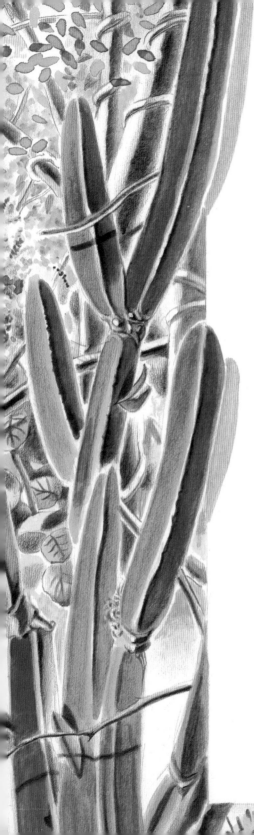

Casi estaban por olvidar al anciano amigo, cuando una hermosa mañana, apenas despuntaba el sol, se escuchó en el Bosque un alboroto poco común. Las gaviotas y los alcatraces graznaban más fuerte de lo normal. Se adentraban en el Bosque casi rozando las copas de los árboles y despertando a todos sus habitantes. Habían visto a Don Carey por los cayos cercanos a Punta Ballena. Tan pronto se iban enterando de la noticia, todos corrían hacia la playa para recibir al admirado amigo.

Y allí estaba él. O mejor dicho, alguien que se le parecía y decía ser él. Porque el anciano que allí estaba no correspondía al recuerdo que de su visita anterior tenían los habitantes del Bosque. Era un anciano muy delgado, con una larga barba llena de escombros y de una substancia pegajosa y oscura que ennegrecía su cuerpo y su caparazón. Aunque intentaba caminar, casi no lograba avanzar nada. Al ver el penoso estado en que se encontraba Don Carey, Doña Aura y Don Guaraguao bajaron de los aires para ayudarlo.

"Llevémoslo al Ojo de Agua para que descanse y podamos bañarlo" –dijeron ambos extendiendo una de sus alas y pasándola bajo los hombros y por el caparazón del viejo amigo.

Cuando llegaron al Ojo de Agua, los jueyes morados procedieron a limpiar el caparazón de Don Carey raspándolo con sus patas, a la vez que recogían con sus grandes tenazas los pedazos de la negra y aceitosa substancia. Las lagartijas le limpiaban la barba, atrapando los escombros con sus mandíbulas y tirando de ellos. Mientras, las aves del Bosque recogieron las hojas más blandas que encontraron y construyeron un suave y cómodo lecho para que don Carey pudiera descansar. Los guabairos se acomodaron en él para entibiarlo en lo que terminaban de bañar a Don Carey. Doña Lagarto, tan rápida como era, se encargó de traerle alimento en un santiamén. En un cascarón de la semilla del árbol de caoba, un par de tortuguitas le trajeron agua fresca y pura del manantial.

Luego de que hubo comido y bebido, Don Carey se quedó dormido. Los guabairos se acostaron junto al viejo aventurero para darle calor durante la noche. Los cobos ermitaños y las lagartijas formaron un círculo alrededor del nido para proteger el sueño de su amigo.

Llegó el amanecer y con él un nuevo día. Todos los animales del Bosque se encaminaron hacia el Ojo de Agua para escuchar las últimas aventuras de Don Carey. Ya reunidos alrededor del anciano amigo, Doña Lagarto, que había traído consigo a sus cuatro hijitos, fue la primera en solicitar que les contara una de sus historias.

Don Carey, ya descansado y con mejor aspecto, caminó lentamente hasta una roca y se posó en ella. Con voz pausada, pero bastante clara, comenzó diciendo:

"Estoy cansado. Sumamente cansado. El mundo ha cambiado demasiado durante estos últimos años. Ya no es lo mismo que antes. Aunque entonces la vida estaba llena de riesgos, al menos uno tenía la oportunidad de conocer a sus posibles enemigos y medir sus fuerzas e ingenio con ellos. Hoy día, eso ya no es posible. ¿Ven ustedes en qué condiciones he llegado aquí? No lo entiendo. Sólo sé que de camino hacia acá, vi una enorme y extraña sombra sobre las aguas. Pensé que se trataba de alguna tormenta o de un huracán poderoso y temible. Pero no podía ser. En mi larga existencia he visto cientos de ellos, de toda clase, fuertes, débiles, poderosos... Decidí averiguar qué era aquella sombra sobre las aguas y subí hasta la superficie. ¡Ese fue mi gran

error! De pronto me encontré en medio de un mar negro y pegajoso Casi no podía nadar. Por un momento recordé una antigua historia que me había contado mi abuelo cuando yo era un niño Trataba sobre un viejo y terrible mar, llamado de Las Tinieblas, donde todo quedaba apresado hasta que las corrientes lo llevaban a un abismo sin regreso, no sin antes haberse enfrentado a los más temibles monstruos que pudieran haber existido jamás. Creí estar en medio de aquel mar. Me sentí apresado y casi al borde del abismo.

"Cerca de mí oía los gritos de las gaviotas y los alcatraces que también habían quedado atrapados como yo. Su sola presencia me dio fuerzas para luchar. Era señal de que estaba cerca de alguna playa. No sé cuánto tiempo tardé en salir de la enorme mancha negra y pegajosa, pero ya ven en qué condiciones he llegado aquí. Ya no es lo mismo que antes. Estoy sumamente cansado. Tal vez ésta sea la última vez que pueda venir a visitarles. Casi no tengo fuerzas…"

Don Carey cerró los ojos y por un momento dormitó un poco. En eso se escuchó la voz de una tortuguita que preguntó: "¿Abuelo, desde cuándo viene usted al Bosque?".

"Acércate" respondió Don Carey y sentándola a su costado le acarició la cabecita con ternura.

"No recuerdo cuánto tiempo hace, pero yo nací aquí, en una de las ensenadas de Punta Ballena. Por eso cuando vengo llego siempre por el mismo lugar. Desde siempre, mucho antes de que naciera mi abuelo, las hembras de mi familia y de la tuya han venido a descansar a estas arenas. Y así habrá de ser por siempre, al menos mientras exista este lugar. Porque este lugar es un maravilloso tesoro, un tesoro único. ¡Un tesoro más valioso que todas las piedras preciosas y el oro del mundo! Y está tan cerca de ustedes que apenas se dan cuenta de ello."

"Don Carey –preguntó Doña Zenaida Aurita (apodada la señora Tórtola Cardosantera)– ¿por qué usted dice que el Bosque Seco es un tesoro único?"

"Este Bosque posee enormes contrastes para quien sabe ver –comenzó diciendo Don Carey–. Justo aquí, estamos en un sector siempre verde. Sin embargo, si vienes desde la playa y subes por los acantilados, encontrarás el desierto más pequeño del mundo. La poca agua de lluvia se filtra rápidamente a través del terreno de piedra caliza, que es muy porosa. La escasa humedad que queda es evaporada enseguida por los ardientes rayos del sol y por la brisa que viene del mar. Cosa curiosa, el fuerte viento marino ha logrado con el tiempo que las copas de los árboles y los arbustos se hayan doblado siguiendo la dirección de la brisa. Las plantas y arbustos que viven allí han tenido que adaptarse a la poca humedad. Árboles como el mabí, por ejemplo, se desnudan dejando caer sus hojas para evitar la evaporación excesiva.

"Los cactus como el melón de costa, la olaga y el sebucán, son comunes en este lugar. Ellos tienen la habilidad de almacenar agua en el interior de sus troncos. Algunos, como el cactus de cuatro lados, han desarrollado largas raíces poco profundas para poder absorber el agua de la superficie del suelo.

"Al picaflor o zumbadorcito le agrada mucho el néctar de sus brillantes flores rosadas. A cada flor que visita le lleva el polen de la anterior, fertilizándola. Es su manera de ayudarla a reproducirse. Los comeñames comen los frutos del melón de costa y luego riegan las semillas por el bosque.

"El sebucán es muy generoso con los pájaros del Bosque Seco, como el turpial y el comeñame. Éstos guardan su alimento en los huecos de los troncos viejos para que las espinas se lo protejan.

"Los insectos y animales de este Bosque son realmente fascinantes –continuó diciendo Don Carey–. Es maravilloso detenerse a observar las hileras de hormigas trepando sobre el terreno, recogiendo y moviendo semillas por todo el Bosque, ayudando así a su renovación. Al construir sus nidos, las hormigas remueven el terreno, desmenuzan las hojas, las flores secas, los insectos muertos y otros despojos, colaborando con el ciclo de vida del Bosque. Algunas tienen sus propios cultivos de hongos en sus nidos y hasta crían insectos menores sobre las hojas de las plantas para chuparles una especie de rocío dulce que éstos producen.

"Hay también otras hormigas, a las que se les llama "hormigas locas", por su manera errática de correr como si no supieran hacia donde van. ¡Es muy divertido detenerse a mirarlas!

"Si parmaneces quieto, se te puede acercar alguno de los lagartos de tierra que retozan entre las hojas secas. Si te muestra su papada amarilla o anaranjada a la vez que abre sus mandíbulas, te estará diciendo que no debes estar allí pues ése es su territorio. No te asustes si alguna prima suya, conocida como Doña Anolis, se te acerca e intenta con rapidez atrapar alguno de los mosquitos que te estén picando. No tengas miedo, no te hará daño. ¡Tampoco se lo hagas tú a ella! Si ves un brillante rayo azul que de pronto pasa cerca de tí, se trata de Doña Ameiva, una elegante, pero muy tímida lagartija que se esconde entre las rocas. Tiene un hermoso cuerpo negro con manchitas blancas, un par de bandas delgadas sobre el lomo y un largo y brillante rabo de color tan azul, que hay que verlo para creerlo."

Don Carey tendió su mirada hacia los árboles que estaban a su alrededor, fijándola en uno de ellos. Luego prosiguió diciendo:

"También tenemos hermosas arañas de color negro, rojo y amarillo brillante. Sus telas de tejido circular pueden verse extendidas entre los árboles y arbustos del Bosque. Con ellas atrapan los insectos de que se alimentan y también –Don Carey sonrió con picardía– a algunos visitantes desprevenidos. Aunque son muy difíciles de ver en la apretada maraña del Bosque, una mirada de cerca a estas arañas nos mostrará extraordinarios y vistosos diseños de colores sobre su lomo.

"Entre ustedes hay muchos amigos que son sumamente especiales. En estos momentos quedan muy pocos y corren un alto riesgo de desaparecer. Hay que evitar que esto ocurra. Son un raro tesoro que no existe en ningún otro bosque del mundo.

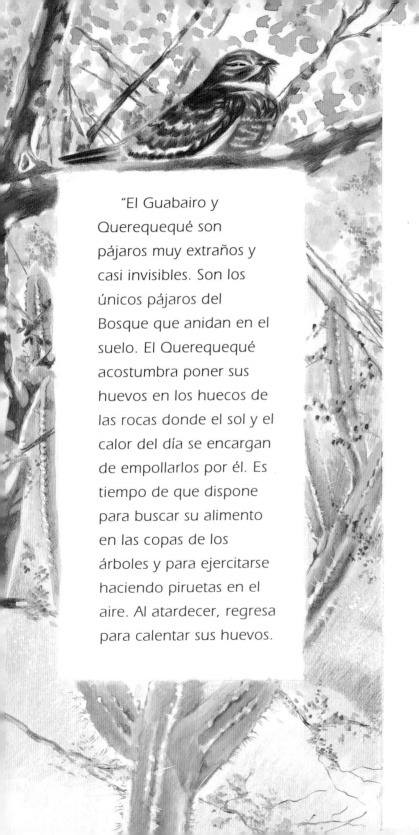

"El Guabairo y Querequequé son pájaros muy extraños y casi invisibles. Son los únicos pájaros del Bosque que anidan en el suelo. El Querequequé acostumbra poner sus huevos en los huecos de las rocas donde el sol y el calor del día se encargan de empollarlos por él. Es tiempo de que dispone para buscar su alimento en las copas de los árboles y para ejercitarse haciendo piruetas en el aire. Al atardecer, regresa para calentar sus huevos.

"Por su parte, el Guabairo es el menos visible de los dos. El color de sus plumas es tan parecido al de las hojas secas y al suelo del Bosque que se hace casi imposible poder diferenciarlo. Además, permanece inmóvil todo el día calentando sus huevos hasta que llega su compañero a relevarlo. Entonces, ambos bailan alrededor del nido, mirándose el uno al otro y batiendo sus alas. ¡Es una hermosa danza de amor y alegría!

"Otro de estos raros habitantes es Don Sapo Concho, quien nace en las pozas que se forman durante la época de las lluvias. En la época de sequía, pasa su vida entre las hendiduras de las piedras. Por eso es muy difícil de encontrar. Sólo sale cuando la lluvia torrencial crea las pozas. Es entonces su tiempo de aparearse y fertilizar sus huevos."

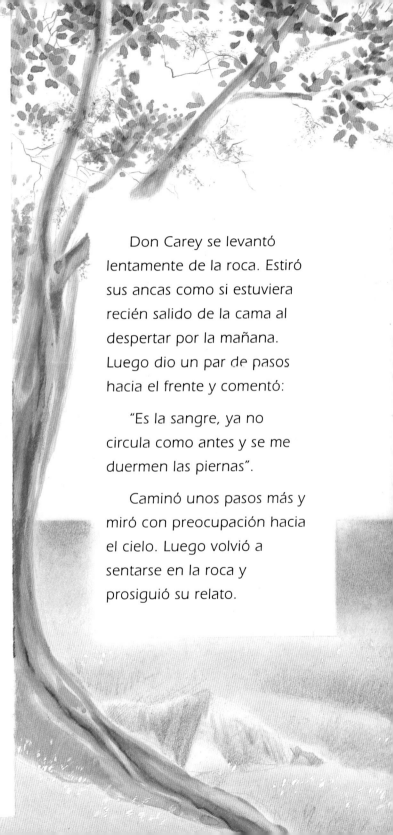

Don Carey se levantó lentamente de la roca. Estiró sus ancas como si estuviera recién salido de la cama al despertar por la mañana. Luego dio un par de pasos hacia el frente y comentó:

"Es la sangre, ya no circula como antes y se me duermen las piernas".

Caminó unos pasos más y miró con preocupación hacia el cielo. Luego volvió a sentarse en la roca y prosiguió su relato.

" Los árboles también son parte del tesoro de este Bosque. Entre ellos, el almácigo es inconfundible. De su tronco color ladrillo y de sus ramas desnudas se desprenden pedacitos como de papel. También brota de ellos una especie de leche que se ha usado como medicina, pegamento e incienso aromático.

"Cuando yo era un niño, me gustaba imaginar que los arbustos de chicharrón, con sus rojas hojas espinosas, eran cercas de alambres de púas, tendidas para proteger de intrusos al Bosque. De hecho, hay que tener cuidado pues su veneno irrita la piel al menor contacto con ellas. También me divertía mucho pensar que los melones de costa eran duendes vigilantes enterrados para ocultarse un poco; que los brazos espinosos del sebucán eran soldados listos para la lucha y que las ramas torcidas del almácigo y de los otros árboles eran monstruos fantasmales dispuestos a asustar a los enemigos del Bosque..."

Don Carey respiró profundamente. En eso, de entre los árboles surgió una voz algo ronca. Era Don Zorzal que preguntó:

"¿Cómo es posible que el Bosque Seco tenga enemigos? Yo he vivido siempre aquí y nunca he visto ninguno".

"Es que no hay peor ciego que el que no quiere ver" –respondió don Carey con tono irónico a la vez que caminaba lentamente hasta recoger algo que brillaba entre las hojas. Era un pedazo de vidrio.

"He aquí uno de ellos –señaló el sabio anciano–. Algún visitante rompió una botella y dejó los vidrios tirados aquí. En este lugar –lo saben bien– el sol lanza sus rayos más calientes sobre el Bosque. Si alguno de sus rayos permaneciera directamente sobre este vidrio, de seguro se desataría un incendio que haría desaparecer toda la vida que guarda este Bosque."

Don Carey cavó un hoyo donde enterró los vidrios. Luego lo rellenó y apisonó para asegurarse de que no representaran peligro alguno.

"A veces, el hombre también se convierte en enemigo del Bosque… tal vez el más peligroso de todos –dijo con voz entristecida y algo amarga–. Tala los árboles y plantas para satisfacer muchas de sus necesidades: alimento, vivienda, medicinas, carbón y papel… Si esto se hace por necesidad, cuidadosa y planificadamente, no hay mayor problema. El problema es la destrucción viciosa. Sin los árboles y las plantas no habría vida en este planeta. Ellos producen todo el oxígeno que respiramos. Refrescan y purifican el ambiente, evitan la erosión de los suelos y fertilizan la tierra. Cada uno de nosotros debe sembrar todos los árboles y plantas que pueda. ¡Cuánta no sería la soledad del hombre sin los animales y los árboles!"

Don Carey calló por un momento y bajó la cabeza. En realidad, sólo pretendía ocultar sus ojos aguachosos. Todos guardaron silencio con respeto. La brisa que venía del mar, a su vez, dejó de susurrar entre las hojas de los árboles. Por un momento reinó sobre el Bosque una calma absoluta. Era como si el tiempo se hubiera detenido a reflexionar sobre lo dicho por el sabio anciano. Una breve tosecita, como para llamar la atención, rasgó el velo del silencio. La suave, aunque algo ronca voz de Don Carey se escuchó de nuevo.

"Cerca de aquí está el sendero de la Cueva. Este sector del Bosque también es muy especial por varias razones. En él se escucha el agudo silbido del turpial y vemos cientos de mariposas volando por el lugar o decorando los árboles más jóvenes con los brillantes colores de sus alas. Algo difícil de explicar en este sendero es la presencia del yagrumo hembra, mejor conocido como árbol trompeta, por la extraña forma de su fruto alargado. Se supone que crezca en áreas húmedas o semihúmedas pero no en lugares secos y áridos como los de la costa sur de la Isla. De hecho sólo existen dos de ellos en este Bosque, cerca de la cueva de los murciélagos. Tal vez uno de estos dejó caer alguna semilla y la humedad en los alrededores le permitió germinar. Pero lo más raro de este sector del Bosque es la cueva. No porque la cueva misma sea rara sino porque en su interior habitan unos seres muy, pero que muy especiales. Pocos de ustedes los han visto y la inmensa mayoría ni siquiera saben que existen. Son los camarones de cavernas, conocidos sólo en este lugar. Debido a su fragilidad y a su importancia como especie única en peligro de extinción, está prohibido pescarlos. Para visitar la cueva y verlos, el visitante tiene que obtener un permiso en la Oficina del guardabosque y estar acompañado de un Guía oficial."

Don Carey se quedó algo pensativo y miró a los cielos. Se le notaba nervioso. "Muy pronto llegará la noche... estoy cansado... sumamente cansado..." dijo casi susurrando.

"Señor... –interrumpió con su voz grave Don Pájaro Bobo–, creo que ya debemos regresar. Está por caer la tarde y..."

"Sí, lo sé –respondió Don Carey–. Pero quiero que me acompañen a visitar a un gran amigo mío. No puedo partir sin saludarlo. Somos tan parecidos... Está cerca de aquí. Vamos."

Caminaron unos cuantos minutos hasta llegar a una fresca hondonada en cuyo fondo había un pequeño grupo de árboles siempre verdes.

Ya en el borde de la barranca, todos tendieron su mirada hacia el lugar. La belleza del paisaje contemplado los inundó de regocijo.

"¡Qué hermoso es este lugar!" –expresó doña Zenaida Aurita (apodada Doña Tórtola) después de exhalar un profundo suspiro.

"En verdad lo es –afirmó Don Carey–. Por eso quería venir aquí. No podría marchar jamás sin llevar grabado en mi memoria cada rincón de este maravilloso Bosque y mucho menos sin ver a mi más antiguo amigo."

"¿Quién es su amigo, Don Carey? –preguntó Don Julián Chiví (a quien se conoce como Bienteveo)–. Yo no veo a nadie" –añadió.

"Me extraña que no lo hayan visto –respondió Don Carey–. Mi amigo es un árbol. Un hermoso y valiente árbol, que como yo, ha vivido demasiado. Se llama Don Guayacán y ha estado aquí durante más de 700 años. Su valor es incalculable. Ha sabido resistir los más feroces huracanes, las más implacables

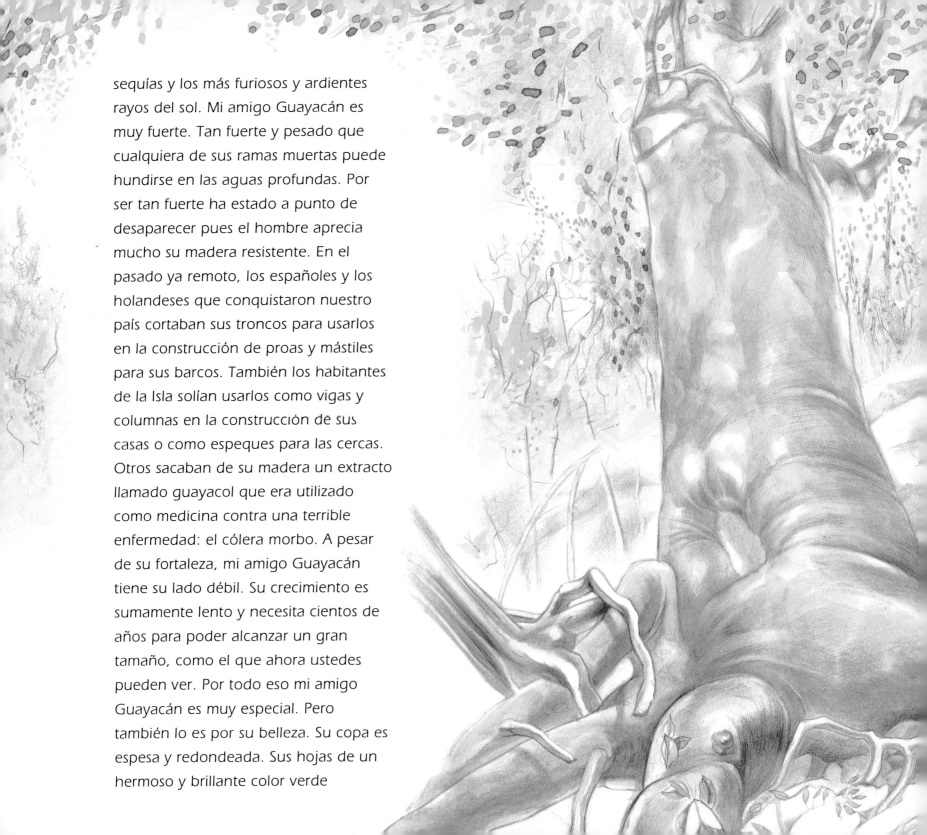

sequías y los más furiosos y ardientes
rayos del sol. Mi amigo Guayacán es
muy fuerte. Tan fuerte y pesado que
cualquiera de sus ramas muertas puede
hundirse en las aguas profundas. Por
ser tan fuerte ha estado a punto de
desaparecer pues el hombre aprecia
mucho su madera resistente. En el
pasado ya remoto, los españoles y los
holandeses que conquistaron nuestro
país cortaban sus troncos para usarlos
en la construcción de proas y mástiles
para sus barcos. También los habitantes
de la Isla solían usarlos como vigas y
columnas en la construcción de sus
casas o como espeques para las cercas.
Otros sacaban de su madera un extracto
llamado guayacol que era utilizado
como medicina contra una terrible
enfermedad: el cólera morbo. A pesar
de su fortaleza, mi amigo Guayacán
tiene su lado débil. Su crecimiento es
sumamente lento y necesita cientos de
años para poder alcanzar un gran
tamaño, como el que ahora ustedes
pueden ver. Por todo eso mi amigo
Guayacán es muy especial. Pero
también lo es por su belleza. Su copa es
espesa y redondeada. Sus hojas de un
hermoso y brillante color verde

aceituna. La corteza de su tronco castaño, lisa y moteada, suele desprenderse ocasionalmente en cáscaras finas y transparentes. Es muy placentero venir a verlo en primavera cuando se cubre de delicadas y fragantes flores azules."

"Señor..." –dijo nuevamente con su voz ronca Don Pájaro Bobo.

"Sí, ya sé... Ya está por oscurecer. Es hora de que regresen a sus casas. Yo me quedaré un rato más con mi amigo. Quiero estar a solas con él. No se preocupen por mí. Yo estaré bien. Cuídense mucho y gracias por estar conmigo."

Cuando todos se hubieron marchado, Don Carey caminó lentamente hasta el tronco del guayacán centenario. El tronco alto y grueso parecía desafiar las leyes de la gravedad. Con su enorme fronda extendida ostentaba su señorío sobre los demás. Era un árbol heroico, digno de admiración y respeto. Un vivo ejemplo de lo que se puede hacer cuando se tiene fuerza de voluntad y verdaderos deseos de vivir. En eso, sin lugar a dudas, Don Carey y él eran muy parecidos.

Después de conversar un rato con su amigo, Don Carey se despidió con voz débil y entrecortada: "Adiós mi buen amigo. Tal vez volvamos a vernos en otro lugar y en otro tiempo. Ya debo irme. Un mar sin fondo me llama. Ya estoy cansado, sumamente cansado..."

Don Carey guardó silencio. Poco después se quedó dormido. Profundamente dormido. La noche tendió su manto oscuro, tachonado de nerviosas estrellas titilantes y la paz reinó sobre el Bosque Seco una vez más.

Otras cosas que nos contó
el San Pedrito:

Los bosques secos han sido de gran importancia para la humanidad desde sus orígenes. La especie humana evolucionó en la sabana africana, un tipo de bosque seco, y desde entonces pueblos como los mayas, los toltecas, los aborígenes australianos, diferentes tribus africanas, nuestros taínos y los habitantes actuales del bosque seco subtropical se han beneficiado de estos en muchas maneras:

1. La gran diversidad de plantas y animales son fuente de alimentación, medicina y materia prima para la construcción de viviendas, canoas, espeques para verjas, artesanías, etc.

2. Sus excelentes maderas son utilizadas como carbón por sus habitantes en muchas regiones del mundo para satisfacer sus necesidades energéticas.

3. El ecosistema de los bosques secos, en su mayoría en la costa, protege los suelos de la erosión, evitando así la sedimentación de nuestras aguas costaneras.

4. Su belleza escénica, sus árboles, hermosas aves y otros animales son fuente de inspiración para poesías, leyendas y cuentos, e inspiran a nuestros artesanos en muchas de sus obras.

5. Los bosques secos tienen la capacidad de absorber el dióxido de carbono de la atmósfera. Evitan así el calentamiento del planeta y contribuyen a la ecología global.

6. Bosques como el de Guánica son un gran atractivo para el turismo contribuyendo de esta manera a la economía de los países en que se encuentran.

7. Son laboratorios vivientes donde estudiantes de todos los niveles académicos se familiarizan con los misterios de la naturaleza, las relaciones ecológicas entre las comunidades naturales y nuestra relación con el ambiente.

8. Conservan nuestro patrimonio natural, ya que gran parte de nuestras especies endémicas, aquellas que sólo se encuentran en Puerto Rico, tienen su hábitat en el bosque seco.

Desafortunadamente, los bosques secos están siendo destruidos o alterados más rápidamente incluso que los bosques húmedos. En 1500, al inicio de la conquista española, el 47% de los bosques tropicales eran bosques secos; actualmente sólo queda un 1% de estos como bosques maduros. Por lo tanto es imprescindible que protejamos los que aún nos quedan.

En 1919 se designaron 2,078 hectáreas (5,197 cuerdas) de áreas boscosas, manglares, playas, islotes de mangle y humedales localizadas al Sur de la isla de Puerto Rico en los municipios de Guánica, Yauco y Guayanilla, como el Bosque Estatal de Guánica. Posteriormente se añadieron fincas y terrenos aledaños para un total de 4,015 hectáreas (10,000 cuerdas). Originalmente la vegetación del bosque comprendía áreas maduras, casi vírgenes, y otras que eran fincas abandonadas con su vegetación alterada. Gracias a la protección como Bosque Estatal, con los años, las áreas alteradas fueron recuperándose y creció una vegetación similar a la del bosque maduro. Actualmente se reconoce al Bosque Estatal de Guánica como el mejor ejemplo de un bosque seco en el mundo. En 1981 las Naciones Unidas designaron al Bosque de Guánica como Reserva Internacional de la Biosfera; o sea, Patrimonio de la Humanidad. Esta red internacional de Reservas de la Biosfera tiene como propósito principal la conservación de áreas representativas de los principales ecosistemas del planeta. Las metas son mantener su biodiversidad, patrocinar la investigación científica para el beneficio de la humanidad y desarrollar nuevas estrategias de manejo de manera que los habitantes de las comunidades adyacentes a esas áreas o dentro de ellas se beneficien y sean responsables de su manejo y conservación.

El Bosque de Guánica es como un rompecabezas donde cada una de sus partes representa tipos de vegetación diferentes que se llaman asociaciones de vegetación.

Las principales asociaciones de vegetación son:

Bosque deciduo: se encuentra tanto en las áreas altas del bosque como en sus partes bajas y cubre casi la mitad del bosque. La mayoría de las especies de plantas y árboles pierden sus hojas durante la temporada de sequía. Las especies más comunes son el mabí, el albarillo, la serrasuela, el alelí, el tachuelo y el corchobobo.

Bosque siempre-verde: se desarrolla en áreas de valles y cañadas donde los suelos son más profundos y húmedos. Allí dominan las especies de árboles que mantienen sus hojas durante todo el año, como la uverilla, el úcar, la tea, el palo de hierro, el yaití, el guayacán y la coscorrolla.

Matorral espinoso y plato rocoso: se encuentra cerca del litoral en aquellas áreas donde ocurren afloraciones rocosas y apenas hay suelo ni humedad. Las especies dominantes son cactus como el sebucán, el melón de costa, la arepa, el cactus de cuatro lados, y árboles similares a los que aparecen en el bosque deciduo. Los árboles son pequeños, en algunas áreas enanos, deformados por el viento.

Manglares y vegetación de costa: A lo largo del litoral crecen diferentes tipos de mangle como el de botón, el negro, el colorado y el blanco, y árboles como la uva de playa, la majadilla, los almácigos y el burro prieto.

En estas asociaciones de vegetación que componen el ecosistema del bosque seco se encuentran unas 700 especies de plantas incluyendo más de 250 tipos de árboles diferentes. La fauna es de las más diversas en Puerto Rico. Hay unas 130 especies de aves, de las cuales 11 sólo se encuentran en la isla y una de ellas, el guabairo pequeño de Puerto Rico, sólo en el Bosque Seco. Muchas especies de aves viajan al bosque desde Canadá y Estados Unidos durante el invierno y luego regresan en el mes de abril. Otros animales, como el sapo concho, el lagartijo de bosque seco, el lagarto de rabo azul, el camarón de cavernas y la mariposita nocturna de Guánica son especies únicas de Puerto Rico que se encuentran en el Bosque de Guánica. Por todas estas razones debemos conservar este patrimonio de la humanidad, que es parte de nuestra herencia natural y cultural.

Bibliografía Mínima

Canals Mora, M. 1985. **Aspectos ecológicos y descripción de hábitat del Bosque Estatal de Guánica.** Departamento de Recursos Naturales de Puerto Rico.

Canals Mora, M. 1990. El futuro del Bosque de Guánica como una unidad efectiva de conservación. **Acta Científica** 4.1-3:109-112.

Canals Mora, M. 1990. Fauna amenazada o en peligro de extinción en el Bosque de Guánica. **Acta Científica** 4.1-3:151-156.

Farnsworth, B. 1991. **A guide to trails of Guánica.** Departamento de Recursos Naturales de Puerto Rico.

Hernández Prieto, Enrique 1990. Características ecológicasde la comunidad de aves terrestres del Bosque de Guánica. **Acta Científica** 4.1-3:81.

Murphy, P.G. y A.E. Lugo 1986. Ecology of a tropical dry forest. **Annual Review of Ecology and Systematics** 17:67-88.

Murphy, P.G. y A.E. Lugo 1990. Dry Forest of the tropics and subtropics Guánica Forest in context. **Acta Científica** 4.1-3:15ss.

Quevedo, V. y S. Silander, 1990 **Plantas críticas y en peligro de extinción en el Bosque de Guánica.**

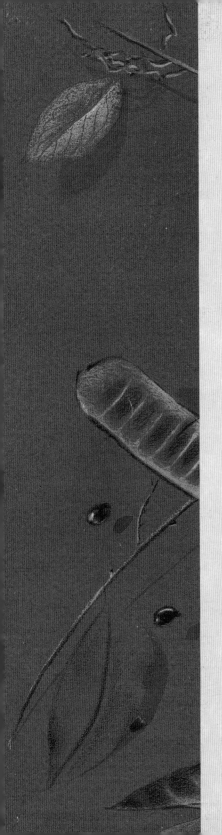

ÁNGEL LUIS TORRES nació en Juncos, vivió su niñez y adolescencia al sur de la Isla, en el barrio Magas de Guayanilla. Allí jugó con las piedras, los árboles, las plantas y los animales. Como el sur es muy seco, aprendió a amar la lluvia, los manantiales, los ríos y los mares. También la fresca sombra de los árboles, las frutas jugosas, el vuelo de los pájaros y su alegre trinar. La sed de aventuras lo llevó muchas veces al Bosque Seco de Guánica y su gran variedad de árboles, plantas, cactus, animales terrestres y aves se le quedó prendida para siempre en el alma.

Ángel Luis ha sido, es y seguirá siendo un ferviente defensor de todo lo que en esta Isla tiene vida y nos llena de felicidad con su música, sus murmullos y sus hermosos colores.

●

MIGUEL CANALS nació en Santurce, Puerto Rico. Estudió biología en la Universidad de Puerto Rico y manejo de bosques en Estados Unidos y en España. Desde hace veinte años hace investigaciones y publica temas tan variados como conservación, biología marina, educación ambiental y manejo de recursos naturales. Su pasatiempo favorito es, cuando tiene tiempo, viajar a otros bosques del planeta. Actualmente es el Oficial de manejo del Bosque Estatal de Guánica.

●

Un día, al regresar de la escuela, su hermano Bernardo le enseñó cómo dibujar una bruja. Luego la colorearon sobre el piso de una casa de madera en Sabana Grande. Desde entonces sus maestras le pedían dibujos de paisajes de nieve en los frisos de las pizarras. Cuando llegó a la universidad, **WALTER TORRES** dijo: "¡Estudiaré arte!", y ahora le encanta dibujar en los libros de otras personas.

Muchos escritores, como Ana Lydia Vega, Rosario Ferré, Juan Antonio Ramos y Olga Nolla, tienen libros ilustrados por Walter. También ha ilustrado muchos de los textos de Español que se utilizan en nuestras escuelas. Son éstos, y el libro que tienes en tus manos, un regalo de Walter a los niños del mundo.